Femmes de sous mon lit

poésie

Données de catalogage avant publication (Canada)

Arsenault, Anick
  Femmes de sous mon lit
  (Poésie)
  ISBN 2-89031-439-1

  I. Titre.

  PS8551.R827F45 2002   C841'.54   C2001-941893-0
  PS9551.R827F45 2002
  PQ3919.2.A77F45 2002

Nous remercions le Conseil des Arts du Canada ainsi que la Société de développement des entreprises culturelles du Québec de l'aide apportée à notre programme de publication. Nous reconnaissons également l'aide financière du gouvernement du Canada par l'entremise du Programme d'aide au développement de l'industrie de l'édition (PADIÉ) pour nos activités d'édition.
Gouvernement du Québec – Programme de crédit d'impôt pour l'édition de livres – Gestion SODEC

Mise en pages : Sophie Jaillot
Maquette de la couverture : Raymond Martin
Illustration de la couverture : Christina Lamarre

Distribution :

Canada
Dimedia
539, boul. Lebeau
Saint-Laurent (Québec)
H4N 1S2
Tél. : (514) 336-3941
Téléc. : (514) 331-3916
general@dimedia.qc.ca

Europe francophone
Librairie du Québec / D.E.Q.
30, rue Gay Lussac
75005 Paris
France
Tél. : (1) 43 54 49 02
Téléc. : (1) 43 54 39 15
liquebec@noos.fr

Dépôt légal : B.N.Q. et B.N.C., 1er trimestre 2002
Imprimé au Canada

Anick Arsenault

Femmes
de sous mon lit

poésie

Triptyque

Morts diverses, Écrits des forges, 2000, 70 p.

Salopette, docteur Sax, 1997, 32 p.

Noire sœur barbelée, docteur Sax, 1996, 16 p.

*merci à Éric Burman, Martin Pouliot
et Jean Dumont*

Le cirque de novembre

1. La génitrice

la prison

le cirque pâle où j'habite
près de l'eau stagnante
ne bouge pas

son immobilité m'agresse
ses horreurs tranquilles
ses animaux jamais rassasiés

cette sérénité
belle à vomir
étendue à pleines mains
sur un torse de femme
nu sur le sable

ses habitants

la diseuse de bonne aventure
danse son sabbat
des anneaux d'or partout sur le corps

l'homme fort au maillot rouge
à bretelles fines sur ses larges épaules tatouées
observe les jumelles écuyères
à la peau rosée portant ecchymoses

il y a aussi
le vieil éléphant le poney
le feu au centre
des rideaux à carreaux bleus
trois nains une bossue
un grand brûlé exhibant ses cicatrices
un géant qui joue du piano

d'autres encore

et moi

moi

je suis un monstre
de chair et d'eau
de paille et de sang
velu et langoureux

mes paroles sont floues
mes gestes précis
ils tranchent
dans le vif

parfois s'attardent
sur un nerf
ou une phrase
parfois enfoncent les ongles
pour voir les lunes rouges pleurer
une minuscule larme
coulant sur les paumes
serpentant dans le dos

le cœur de la femme à barbe

femme à barbe
c'est ce que je suis

j'aime l'avaleur de sabres
et l'homme-canon
qui se propulse dans la fumée

j'aime aussi le dompteur
de fauves aveugles
dans les cages ensanglantées

ces hommes hauts et durs
loin de la fragilité
des bouches en cœur
loin des rires aigus

ces hommes consentants
écorchés caressés

et toi
mon quatrième amant

la pièce me regarde

chez moi
pas d'enfants
mais des fantômes des esprits
des tueurs des espions des victimes
tous dans le même tiroir
les coudes soudés au corps
à la hauteur des seins

ils ne dorment jamais
ils guettent et me protègent

mes gestes sont épiés
mes paroles retenues dans les murs
je suis en sécurité
exposée
dans mon cirque hanté

les cuisses habitées

l'acier ne m'effraie pas
le long le rond le pointu le plat
sous ses différentes formes
il vit
à portée de main de bouche

de sexe aussi

le froid de la lame
sur cette conque soyeuse et broussailleuse
où vivent d'étranges bêtes
à peine entraperçues
et jetées aussitôt

un œil une épaule
que tu m'as décrite
hors du liquide

la smala

j'ai eu deux bêtes identiques
qui ont grandi
je ne les garde pas à côté de moi
leurs visages magnifiques m'humilient

je suis un monstre
un peu ours un peu rat
un peu chienne sur les bords
avec des pleins et des vides
des os et par-dessus
cette chose douce au toucher
qui brûle facilement

elles
elles se tiennent à l'écart
de mes langues assommantes
à l'abri des longs serpents minces
qui coulent de ma tête

je reste avec mes hommes mes semblables
le quatuor de la laideur
sublimée

l'entonnoir

parfois
la lame effilée
rase de trop près une peau et
s'enfonce brusquement
dans les chairs maternelles voisines
parfois
la corde blesse les poignets
dans la poussière brune
parfois
tout va bien ma fille rose
on aime sa mère hirsute
on est jolie on est enceinte
de l'homme fort à maillot rouge

je sais

novembre tôt

ceux qui aiment mes habitants
me détestent
moi
j'exècre les filles trop filles
et les autres   parfois

il arrive la nuit
qu'une d'entre elles
se noie dans la mare noire
sous mes yeux

toi
et le dompteur de fauves
et l'homme-canon
et l'avaleur de sabres
vous appréciez de loin
le spectacle
de la peau et de l'eau

mais uniquement
en pleine lumière du jour

les jours suivants

mon cirque   mes fous horriblement beaux
mes algues tortueuses   mes heures solitaires
mes chiens crevés   mes chattes noyées
mes refus d'offrandes   mes faveurs bégayées
mes négations de prude salope
mes mains d'ange brûlé
mon dégoût de l'eau qui bouge
ma fascination des derniers instants
de la fatalité et du hasard
mes filles mes hommes ma barbe mon cul de femme
mes yeux qui ignorent
ma bouche cachée

je rampe entre les cages
des fauves à deux têtes
des souris à trois yeux

le ventre contre la terre noire

le visage de la femme à barbe

mes scandales mes peurs
mes mensonges   mes sourires
moi entière
près des paupières

j'habite un monstre
tapi sous un maquillage parfait

tout retombe
se défait
peu à peu
en deux temps trois mouvements

2. Après l'eau

le cimetière

de l'autre côté du lac
se niche un cimetière
entre les arbres

pierres croix de bois
gens
et animaux

sépultures à demi secrètes
un ours trois souris
des oiseaux des chiens
dans le vent tiède qui soulève le sable
en de minuscules tornades
près de l'eau inerte

le sentier des tombes

les cailloux
ont jadis été chauds
maintenant
désertée par les insectes
la mousse s'assèche

l'ombre qui pend
des branches nues
ne dessine que
des silhouettes longilignes

il ne subsiste
que quelques fleurs

le champ de pierres

entre les mâts tronçonnés
où la sève se tarit
l'écuyère à robe bleu ciel
chemine jusqu'aux tombes
vides ce matin
de tout regard de toute douleur

ni l'écureuil ni la perdrix
ni la grenouille ni le tamia
n'interrompent son trajet

un bouquet de pensées
au poing

avant la parole

la jumelle bleue intacte
est à genoux sur la terre raidie
des bribes de feuilles mortes
accrochées à ses tresses dénouées

elle laisse dériver
sa hargne ensevelie
sous un visage impassible

ses mains sombres
bien cachées sous les vagues
de l'étoffe

dialogue de sœurs

à peine un mot
pour la disparue du lac sombre
celle à la robe rose
et aux nattes identiques

pas de pleurs
beaucoup d'eau
plein les poumons l'estomac

l'écuyère rose dans une position fœtale
échouée sur le sable

novembre tard

la nuit des morts passée
près du fracas de l'eau vieille
le lac a accouché d'une écuyère violacée

ce que l'écuyère bleue
ne peut cacher ailleurs
elle se l'enfonce
profondément dans la tête
points collés sur une carte routière
l'itinéraire du refus

la rose avait
les ongles si longs que pour les enlever
passer une lame dessous aurait été inutile
la bleue a les siens
rongés de colère

l'amour

l'homme fort aux épaules voûtées
erre près des roues métalliques
il garde par-dessus son maillot
une minuscule robe rose
aux coutures éventrées

il dit vouloir
porter des tresses
on voit la repousse de tendres cheveux
sur son crâne jadis luisant

son corps sera
leur maison à jamais

famille immobile

le coffret dort encore
avec ses cendres et ses fermoirs d'argent
sur la tablette de la penderie

à ses côtés
une petite boîte en paille
remplie de longs poils rêches
et un couteau à lame dorée

souvenirs refroidis
photos jaunies
d'une femme à barbe
de deux fillettes
de trois maris
et d'un inconnu

...

le temps repartira-t-il
en cercle sur la piste
les roues les barres de fer
resteront-elles ici
près de l'eau et des corps
entre les arbres qui meurent et ressuscitent
presque chaque année après les tempêtes

les rondes silencieuses des maquillages
s'éternisent devant les rires hésitants
des enfants apeurés

Les fascines

Lucioles

c'est l'histoire courte d'une petite sorcière
couleuvre au cou sourire entre les dents
qui se fait démembrer par un ours
en plein cœur de sabbat

après son repas l'animal
jette les restes au fond
d'un profond puits
où sommeillent lunes et libellules

recroquevillée en forme de chute
sur un lit d'eau épaisse
la petite sorcière voit
tout son corps fractionné

les lunes flottantes posent
sur chaque parcelle de chair
de fines ailes
qui ramènent millemiettée
la petite sorcière sur terre

les nuages de lucioles
errant près des points d'eau la nuit
composent le corps lumineux
de la petite Lucie envolée

Rituel d'automne

elle est là claquant dans le vent
semblable à un pelage détrempé
cloué à un tronc

entre le crépuscule et l'horizon
elle ouvre la porte de bois
fendue par les fouets des pluies oubliées

la besace recrachant
le cadavre mouillé
dont la patte embrasse encore
l'acier dans la forêt

extrémités à vendre
fourrure à porter
viscères à manger
yeux à sécher

assise sur le tabouret
du placard à séchage
elle lève sa lourde jupe
une peau à la main

lèvres humectant la toison
une perle au front

les poils différents se mêlant
le doux le rêche
l'humide le sec

petite sorcière
entretenant son plaisir
sous les arcs-en-ciel
seule et souriante
les après-midi d'automne

Le chemin de la Nyctale

la femme séraphique aux yeux multiples
aux doigts déplumés
à la bouche de coton rose
s'enfonce tête première
dans le bassin des heures meurtries
sous un arbre en sanglots

la femme aux mille dents creuses
aux jambes closes assoupies
boit le lait des îles mortes
près des maisons de palmes
aux troncs vagues et distants

la femme à la crinière emmêlée
assise face au néant des glaces mortes
sourit en maugréant une insulte
aux jeunes licornes glabres

cette fille transparente
pleine sous sa longue robe marine
qui parle de couteaux sur la route
en léchant une glace au rhum
des cailloux plein les poches

s'immergera-t-elle
dans un torrent de formules imprononçables
deviendra-t-elle
un sentier illuminé de glaise
sous la brume d'une aube désertée

Feu follet

sorcière fragile et édentée
les os de ton bassin
pointent sous ta robe
tes seins existent à peine

tu n'oses respirer
cachée dans les feuilles rouges
près des amadouviers séchés

ces hommes fourchus
armés de tisonniers
bruyants autour de ta cabane
violent ta mère immobile

les chats frôlent tes jambes froides

vent averse tourmente
tu recraches les clavaires et les amanites
en cherchant la myrrhe et le vin

infatués fats ridicules
s'étouffant de rires et rotant
les hommes se dispersent

l'attaque des flammes
sur ta peau pâle d'efflanquée
n'arrêtera pas ta fureur
la science des plantes de la mort des femmes
guidera ton vol la nuit
fragile flamme follette

Comptine de sorcière 1

je ne gruge pas d'os
ne mords pas d'épée
mes pieds aux écorces
ne savent plus grimper

à droite de mon torse
sous des chênes altiers
repue de ses forces
je lèche un guerrier

étendu par terre
auprès d'un grand puits
il a tu ses colères
et s'est endormi

il semblait amer
maintenant sous la pluie
je regarde les vers
s'approcher de lui

Comptine de sorcière 2

une mince chauve-souris
au creux de la main
un pluvieux samedi
de plomb et d'étain

elle était raide morte
couchée sur le ventre
près des deux seules portes
brunes à peine mouvantes

j'ai cherché ses yeux
entrevu sa bouche
l'ai flattée un peu
comme on touche une mouche

petit corps noir velu
endormi dans ma paume
je n'aurai jamais vu
ton minuscule royaume

Dans le bois

elle avance
sous la fraîche couverture de gouttelettes
glissant parfois sur sa peau nue

éviter les limaces des rochers
repérer les vers de terre noire

sous la fine bruine
elle sourit aux arbres
les pieds dans l'eau embourbée
crie un peu au ciel pour voir

elle s'enfonce dans les bois
offerte et décidée
ses nattes sombres échevelées
claquent fort au vent

jeune sorcière cherche loup
un beau gros loup bien gris
à épaisse toison à dents longues
aux yeux jaune feu
un beau gros loup bien gris
qui la fera devenir femme

elle conservera la force animale
affrontera les vents les vagues fortes
les pleines lunes les hommes soûls

elle hurle au ciel

les chevilles dans le crépuscule
elle tombe et tombe et tombe
se déroule complètement
étendue
en suspension aérienne

puis au fond d'un gouffre
elle agite une plume froissée
une branche de sapin tressée
souffle dans un brin d'herbe large
calé entre ses pouces

le loup plein de crocs arrive
présentant son pénis épineux
la petite sorcière
le place au chaud
doucement
au cœur de son ventre maigre

sous les ongles de la terre
vivent les carapaces dorées
elle a de l'herbe entre les dents

tout autour devient translucide
elle goûte au poison secret
du sexe de la mandragore
sèche les pétales clairs
les mâche un peu
les laisse fondre sous la langue

elle avance
sous la fraîche couverture de gouttelettes
glissant parfois sur sa peau nue

éviter les limaces des rochers
repérer les vers de terre noire

La renarde

il pleut du sable
les pieds dérapent
dans l'enfoncement du sol
la terre
avale sa salive sèche

en plein bois
près d'un lac éteint
le garçon et la fille
s'enlacent le poignet
yeux fermés

les hiboux se terrent
sous la nappe noire des grillons
l'eau est calme

les mains liées
ils se dépècent du regard
la hâte de l'autre en plein ventre

mais la fille
redevient

renarde

petite femelle à langue noire
roulant sur le sol

ses veines bleues
scintillent d'un venin épicé
chaud comme l'ambre du rhum
ses veines bleues
dressées
d'un coup sous la peau

ses ancêtres
ont séduit les rois et les hommes
de leur touffeur rousse ébouriffée

la renarde à dents longues
vient de capturer
sa première proie

un terrier les engouffre

sur un lit de feuilles mortes
des cheveux du cuir
des ongles des dents
des ossements de poulet

et maintenant
à peine un garçon
endormi

errant dans l'automne brisé

une nouvelle vie
d'étincelles fugaces
et aveuglantes

les restes du repas
à jamais dévorés
par la terre sombre et putride

Aigues-marines

À Jair

Angéliques

ce soir l'eau déborde sur les rives

chrysalides nymphomanes qui se noient effrontément
dans le pétrole d'une mare trouble
bouillant de mille gouttes écervelées

sirènes clamant leurs délices
dégoulinantes de glaire
sous un orage d'yeux illuminés

anges marins aux corps plats aux dents aiguisées
nageant en cercle

filles à queue poissonneuse
pataugeant sans mâles
filles à corps de plumes
au cœur affolé sous les branches des saules

spectacle joyeux des peaux écailleuses
des sorcières sans diables
célébrant mensuellement
la liqueur rose et chaude

dans le bruit des clapotis
ressemblant au son de ventres qui se frappent

Arianes

bouquets de filles vertes et bleues
des chenilles agglutinées aux cheveux
les orteils dans la terre meuble des sangsues
que sillonnent des truites arc-en-ciel au ventre rebondi

bouquets de filles turquoise
les pieds dans le sable clair des murènes coralliennes
liées entre elles
par le feu et ses cendres
le vent et ses mensonges
l'eau et ses sortilèges
des fils d'Ariane aux poignets

naïades et hamadryades gemmées
tératologues du cœur
aux troncs humides
centenaires d'incantations stellaires

la rosée aux petites lèvres du matin
forme des sinuosités concentriques
sur l'onde sereine

et vos membres enchaînés
dans le ciment liquide de l'éternité
vos corps-morts féminisés
offrent un mouillage parfait
aux loups de mer et aux bars voraces

Awa

Awa porte aux chevilles des chapelets de galets
des hibiscus aux doigts polissons
qui distillent les jours d'attente et les ronds de cordage
en fomentant des potions et des huiles magiques

elle baigne son cœur scellé dans une noix de coco
avec cannelle vanille et rhum des îles voisines
le fruit marine sous sa robe
dévoilant une odeur mûre et saline

devant elle l'hologramme d'un visage
se dessine sur la surface bleu clair

puis le dos de Cylbaris l'Antillais
gravé du chemin entre le volcan de la montagne Pelée
et le cirque en tournée à l'étranger
après les torrents de lave de mai

l'image se trouble
insalivée et avalée par les flots

les poches plombées
les amants séparés
sont en fond de cale sur la terre glaise

Maïa

Maïa goutte de mer marche enceinte ce soir
un dégoût tremblant et du lait frais à la main
en plein tourbillon sableux
d'où son regard haletant sort à peine
dispersé aux quatre vents

elle cherche le camphre et la myrrhe
afin de prolonger ses heures dans la mort
qui l'attise et la fait taire au creux de ses bras

le cœur ficelé d'ecchymoses
les frontières brûlées si facilement
les terres noires labourées de sens
les ventres ensemencés
le soleil qui persiste

sous une battue d'âmes blanches
refroidies et inertes près des rochers grisâtres
en rond des brûlures des fêlures des morsures
l'absence la caresse
comme une ancienne amante
repoussante de compassion

son ange démoniaque son déchu des îles
aux yeux carnassiers volant invisibles
sous des palmiers qui sèchent
se terre

Maïa mer et monde
il montagne et maison
loin et elle accouche
seule sous un soleil franc

Ann et Mary

octobre 1720
les flibustiers noient l'ancre en Jamaïque mauve
sous un déluge de tafia et de rhum brun

sabres nettoyés
foulards noués
malédictions rangées
poches déformées de pièces
poitrine blanche sous l'étoffe ample
chope à la main
la fugitive Irlandaise abordeuse
et l'Anglaise tenancière de taverne
tanguent vers leurs hommes affalés

tous les quatre amoureux et soûls
sur le sloop saturé du butin des navires de coton
avec l'équipage écartelé aux points cardinaux

le fléau des Caraïbes fête cette nuit
les femmes-pirates enceintes
sans voir l'abordage imminent

soudain Rackam un sein pâle à la main
s'étouffe et attrape sa hache

sur les planches ondulantes
des billes sous les bottes

les boucanières tumultueuses se battent en vociférant
tempête rebelle écumeuse

Mary enfermée puis morte
Rackam et les autres suspendus à jamais
un goût de corde aux lèvres

fugace Ann disparue
sans remous sur l'eau trouble

Aube

sous une lune déclinante
accouchant d'une pluie de papillons
qui dansent sur l'eau
une jeune océanide muette est assise
du corail sur la peau

elle porte au cou
des colliers secs d'yeux
de verre coloré de coquillages
dérobés à des bateaux de sable
percés d'algues et de veines

ancienne Ann aux voiles en berne
sous les astres silencieux

quand les vagues
deviennent fragiles et transparentes
elle plonge
dans l'onde liquide

éternelle fille sans famille
aux cheveux d'armes blanches

Les sertissages de l'âge

1. Mouvances

un petit carré blanc
plat   mince
trop bavard par un matin d'octobre
chamboule l'incrédule

je m'endors sur le divan
le futur à la main

bleu glacé
la chaleur sèche enfle la peau
irrite les nuits
entasse les heures au fond d'un placard
le présent sans risque endormi
hibernant la gestation d'un été

l'hiver s'alourdit
en rond dur de neige fondue
le mouvement ralentit

les yeux se surprennent eux-mêmes
d'une nouvelle forme révélatrice

oasis d'ancien désert
racine s'enfonçant doucement
dans les arcanes d'un corps devenu transfuge
petite pieuvre martelant une surface lisse

déboussolée la gravité penche dangereusement

insomnie creuse près des yeux
un sillage où se lisent les mois

la nuit ouverte en plein milieu

ta caresse s'intensifie
nommant l'immédiat
maintenant

nous regardons la respiration
une aiguille tournant sur le comptoir
occupe toute la pièce

quelques gouttes dans l'eau du bain

un pas puis un mur puis un pas

le temps file sous le bouchon en tourbillonnant

course au ralenti sur le bitume éclairé
des lampadaires aux feux rouges carbonisés
calme ascension jusqu'à la cassure de l'âge
abandonné à la porte de bois

neuf centimètres
                    et tout bascule

l'avenir au pied du lit

déjà tu t'éloignes d'un seul mouvement
reviens dans un ventre-à-ventre réversible

autour s'estompe l'agitation
l'aube éclate de ta bouche
devant le fleuve debout

petite tuque bleue croissants et violoncelles
tout est suspendu

doucement trois peaux s'imprègnent

le bonheur se savoure silencieusement
plongé dans le regard de l'autre

retour tranquille avec la nuit
la réalité embrouillée
ferme les portes

garder le présent intact
s'éclairer à la lueur de tes yeux

cris et déglutitions
la salive sur ton poing et ton œil bleu
tu te balances hargneusement

parfois un coin de lèvre soulevé
ravive cette fibre occultée
au tréfonds de l'autre

oubli instantané

sortir du cercle

pointe se réfugiant yeux fermés
dans l'obscurité cassée à coup de faim

le front de sommeil durci s'épaissit
d'éternelles petites bouches gloutonnes

nourriture vivante sous la main aveugle
pressée de gravir la côte jusqu'à l'ampoule scarifiée
et de se soûler
cannibale de l'inconscience

petit sommeil fragile gigotant sous la couverture
l'oreille se referme sur elle-même
la patience s'émousse et se lève
le jour plante des aiguilles dans les yeux
restés sur les draps

réveil flageolant d'une journée resplendissante

la main tâtonne
saisit une touffe de poils roux
qui ne réagit pas à l'agression

tous deux blottis au chaud
sous la même flanelle

répit

du dos au ventre au dos
sous les yeux des chats
les doigts tendus le regard ravageur
les couleurs partout le bruit le silence

ta vie
justifie
mes jours

enfin

ton rire plus que tout
illumine la monotonie d'un quotidien désabusé
et rattache mes pas au réel
de ta présence

2. En eaux et en chairs

ouvrir le ventre
sur les lattes de bois
deviner les vertèbres
en touchant le nombril

la douleur mesurée
à la cambrure des pieds
veines frêles
durcissant près des gencives

seins bandés de lait

les aiguilles de la bouche
déliées d'enlacements
sucent fort la vie

la mémoire de l'œil
volcanisée

chairs nouées d'épaules
fracassantes et éphémères
noyades délabrées

les saisons s'effacent
doucement
le corps
coupe le pointillé
des semaines au ciseau

jamais assez d'encre
trop de terre de sable

le temps sous les ongles
entrelace les racines du jour

le sel séché est le plus beau souvenir
avec la morsure du corail

le goût du cuir et de la laine tressée
constellation des corps
brûlés

la cisaille du décompte
écoute la chute des êtres
au ralenti

les fantômes bercés
d'ombre et de varech
ruissellent des lèvres

le regard sur l'horizon
toujours trop près

pluie bue à pleine bouche

la terre humide et féconde
comme un ventre à peine ouvert
où les mois restent figés
gravés dans l'absence

3. Insectes

les coquilles dures
des insectes craquent
sous les ongles

sur la roche
des ailes translucides
ombragent les yeux

les paupières
inondées de traces infimes
s'agenouillent

le piège de l'eau
sur les fils clairs

le silence du pouls
sur la pierre suspendue

l'épiderme saccagé
contre l'attrait du vide

la métamorphose
polie par le vent dans l'os
alerte les souterrains
jetés au hasard des feuilles

séchant au soleil crématoire

le bois peint
des myriapodes
tord dans ses nœuds
la chair faussement cicatrisée

des carapaces multicolores
écrasées

des clous sous les arbres

les démembrements flottent haut
devant l'impasse du feu

l'écorce
le crâne
les yeux

cette vertèbre
plantée droite
dans le sable

le chemin de broussaille
sous le bois stagnant

le bruit
avalé
touche à peine
la rivière

brumes de lac arachnéen
linceul vierge
rampant sur les galets

l'éclat limpide des profondeurs
gigotantes
de morts instinctives

et le tronc
si souple si froid
plonge la tête
dans les terreurs glauques
des insectes décomposés

4. Gestuelle des vestiges clairs

l'ouragan
comprime les gestes

la parole
se tarit tôt

les éboulements de chaleur
les tourbillons de froid
empoisonnent parfois
le tumulte des jours
désorganisés par choix

ce mouvement de la main
avorte les lignes et les fondus
de couleurs sans nom

la transparence des taches vives
évoluant dans l'objet pictural

formes marquant les avant-bras
de mouvements d'interrogations
instinctives

la relative profondeur d'un doute
profane l'accumulation des strates
de pierres moulues fines :
vert-de-gris   plantes   écorces

la résistance de la surface
transforme la main

le silencieux parcours du murmure
signe les toiles adossées au blanc
filtrées de sable huilées gras

sans accroc ni temps mort
l'hésitation absurde
de l'impact

Table des matières

AGMV Marquis

MEMBRE DE SCABRINI MEDIA

Québec, Canada
2002